Miladinka Ivankovic

Einladungskarten zur Hochzeit

AUGUSTUS

Inhalt

PAUL

Anke
Petra
Carmen
Tanja
Ralf
Michael
Eddi

Einladung

Materialien und Werkzeuge

Sämtliche im Buch verwendeten Materialien und Hilfsmittel sind im Bastelfachhandel bzw. Schreibwarenladen erhältlich.

Materialien

Die für die Karten benötigten Materialien werden jeweils in der Materialliste (»Das wird gebraucht«) aufgeführt.

Werkzeuge und Hilfsmittel

Lineal
Bleistift
verschiedene Scheren, Cutter
Transparentpapier zum Abpausen der Vorlagen
ggf. Stanzmotive, z.B. »Herz«
ggf. Pinsel, Spachtel
je nach Modell verschiedene Klebstoffe, z.B. Kraftkleber, Sprühkleber, Heißklebepistole, Klebeband, Klebestick
Falzbein

• Tipp •

- Die Heißklebepistole empfiehlt sich für Karten, bei denen verschiedene Materialien (z. B. eine Kunstblume auf Papier) miteinander verbunden werden. Das erleichtert die Klebearbeiten erheblich, und Sie sparen außerdem Zeit!

- Zum Kleben dünner Materialien – z. B. Bänder und dünne Papiere – sollten Sie Sprühkleber, doppelseitiges Klebeband oder einen Klebestick verwenden, damit sich an der Vorderseite keine hässlichen Klebeflecken durchdrücken.

Techniken

Einlegeblätter befestigen

Die Blätter für den Text können entweder lose eingelegt, eingeklebt oder mit dünner Kordel bzw. einem Band in der Karte festgebunden werden. Ein Beispiel für einen Einladungstext und dessen Gestaltung finden Sie auf der Umschlaginnenseite hinten im Buch.

Serviettentechnik

Eine einseitig selbstklebende Folie auf der glatten Seite mit wasserlöslichem

Klarlack einpinseln und die erste Lage der ausgeschnittenen Serviette darüber streichen.

Das fertige Motiv zum Schluss nochmals vorsichtig mit Klarlack versiegeln und überstehende Folie abschneiden. Das Schutzpapier an der Rückseite abziehen und das Motiv auf die Karte aufkleben.

3-D-Effekt

Mit Paste und Schablone lassen sich sehr leicht auch erhabene Motive auf den Karten aufbringen. Je nach gewünschter Struktur haben Sie bei den im Fachhandel erhältlichen Pasten die Wahl zwischen rauer oder glatter Qualität.

Und so wird's gemacht:

1 Drücken Sie die Schablone gut am Papier an und streichen Sie mit einem Spachtel oder Messer die Paste darüber.

2 Anschließend die Schablone vorsichtig abziehen und das Motiv trocknen lassen.

• Tipp •

Durch leichtes Abändern der Einladungskarte, z. B. durch eine neue Anordnung der Materialien, durch Hinzufügen oder Weglassen mancher Teile, entsteht auf einfache Weise eine passende Menükarte. Der Innenaufbau der Menükarte ist folgender: Links stehen die Weinsorten, rechts das Menü; auf einer separaten Karte werden die außerdem angebotenen üblichen Getränke genannt.

Drahtherz im Efeu

Edle, immergrüne Ranken, die auch symbolisch verstanden werden können...

So wird's gemacht

Den mit der Motivschere auf eine Größe von 9,5 x 13,5 cm zugeschnittenen Fotokarton sowie gerissenes Naturpapier auf die zugeschnittene Wellpappenkarte (11 x 16 cm) kleben.

Das wird gebraucht

3-D-Wellpappe, natur
Fotokarton, cremefarben
Naturpapier
25 cm Silberdraht, Ø 1 mm
15 cm Efeuranke mit Draht
Motivschere

Den Silberdraht nach Abbildung biegen und mit der Efeugirlande umwickeln. Mit Heißkleber befestigen.

Bastringe mit Perlen

Solch bezaubernde Wirkung können einige wenige schlichte Materialien entfalten.

Das wird gebraucht

Universalkarton, cremefarben
Naturpapier, mintgrün
Mikrobast
60 cm Silberdraht, Ø 0,4 mm
Wachsperlen, weiß
Motivschere

So wird's gemacht

Einladungskarte

Auf die vorbereitete Universalkarton-Karte (16 x 11,5 cm) das mintgrüne Naturpapier kleben. Anschließend formen Sie aus einem Baststrang Ringe und befestigen diese auf der Karte. Die Wachsperlen in unregelmäßigen Abständen auf dem Silberdraht aufreihen und diese Kette als Geflecht über den Ringen fixieren. Das Einlegeblatt wird mit einem Stück Bast im Falz der Karte festgebunden.

Menükarte

Für die passende Menükarte (12 x 17 cm) nehmen Sie entsprechend der Abbildung kleine Veränderungen vor.

Gerahmtes Goldherz

Vorlagen siehe Vorlagenbogen

Ein goldenes Herz darf durchaus auch im Rahmen präsentiert werden.

Das wird gebraucht

- »Elefantenhaut«-Karte
- 3-D-Wellpappe, natur
- Prägefolie, gold
- Kokospapier, rot
- 21 cm Organzaband, braun; 4 cm breit
- »Elefantenhaut«-Papier
- Klebeschrift
- Cutter, Kugelschreiber

So wird's gemacht

Zunächst das Organzaband mittig auf der Karte fixieren. Aus dem »Elefantenhaut«-Papier einen etwa 1,8 x 8 cm großen Streifen schneiden, die Enden einrollen und die Klebeschrift darauf befestigen. Anschließend mit dem Cutter nach Vorlage aus der Wellpappe einen Rahmen ausschneiden. Das aus der Prägefolie gleichfalls nach Vorlage ausgeschnittene Herz mit einem Kugelschreiber von der Rückseite mit dem Rankenmuster prägen. In die Mitte des Herzens kleben Sie zum Schluss ein aus rotem Kokospapier ausgeschnittenes Herzchen.

Passende Tischkerzen

Das kleinere Prägeherz (siehe Vorlage) sowie einen beschrifteten »Elefantenhaut«-Streifen mit Heißkleber an einen Zahnstocher kleben. Das Ganze mit Knetfix an einer etwa 7,5 cm hohen Stumpenkerze (Durchmesser etwa 4 cm) befestigen.

Sonnenblumen-Arrangements

Mit ihrem strahlenden Gelb verbreiten Sonnenblumen als Motiv eine garantiert »sonnige« Stimmung.

Sonnenblume im Topf

Das wird gebraucht

Karte, cremefarben
Reispapier
Juteband, natur
Sonnenblumenstrang (Bastelgeschäft)
Naturbast, grün
3-D-Wellpappe, braun
»Elefantenhaut«-Papier
Schaschlikspieß
Bastelfarbe, grün
Lackstift, schwarz

So wird's gemacht

Gerissenes Reispapier und einen Juteband-Streifen (6 x 14 cm) auf die Karte kleben. Den Schaschlikspieß auf 9 cm Länge kürzen und mit grüner Bastelfarbe bemalen. Aus 3-D-Wellpappe schneiden Sie dann nach Vorlage den Blumentopf aus. Einige Blätter vom Blütenkopf trennen und unter dem Topf festkleben. Das Einladungsschild mit einem Baststrang am Stiel befestigen.

Alle Vorlagen siehe Vorlagenbogen

Sonnenblume im Juteband

Das wird gebraucht

Wellpappe, gelb
Japanseide, olivgrün
8 x 15 cm Juteband, grün
Sonnenblumenstrang
15 cm Kordel, gelb, Ø 2 mm, Golddraht

So wird's gemacht

Auf die Vorderseite der gefertigten Wellpappenkarte kleben Sie die 8 x 15 cm groß zugeschnittene Japanseide auf. Die Enden des Jutebands mit Golddraht umwickeln und schräg auf die Karte kleben. Kordel und Sonnenblume befestigen Sie in der Mitte der Karte.

Variation: Gelbes Herz

Das wird gebraucht

Karte aus Naturpapier, gelb
Filz, gelb
8 x 9 cm Juteband, grün
Fotokarton, tannengrün
Stempel und Stempelkissen in Gold
Embossingpulver in Gold

So wird's gemacht

Juteband, gerissenen Fotokarton und ein nach Vorlage aus Filz ausgeschnittenes Herz auf der Karte fixieren. Auf ein weiteres Stück grünen Fotokarton den Schriftzug stempeln, mit Embossingpulver bestreuen, überschüssiges Pulver abklopfen und über der Herdplatte Schriftzug verschmelzen lassen.

Einladung zur
Hochzeit
Einladung

Strukturherz auf Rot

Rot auf Weiß – und umgekehrt – ist ein Kontrast, der gerade in »Liebesdingen« immer Wirkung zeigt.

So wird's gemacht

Aus dem Kokospapier eine Karte zuschneiden und mit rotem Fotokarton von innen verstärken. Dann das Reispapier auf passende Größe schneiden (siehe Abbildung) und aufkleben. Als nächste Lage oval gerissenes Kokospa-

Das wird gebraucht

Kokospapier, rot
Fotokarton, rot
Reispapier
Mikrobast, hell
Nadel
Moosgummi-Schablone »Herz«
Strukturpaste
kleiner Spachtel
Klebeschrift

pier mit Mikrobast umnahen und aufbringen. Zum Schluss in der Mitte das mit Schablone und Strukturpaste gefertigte Herz (siehe »3-D-Effekt«, Seite 5) befestigen und die Klebeschrift auf der Karte fixieren.

Hand in Hand

Vorlage siehe Vorlagenbogen

Das Brautpaar auf dem Weg... Konkretes Motiv für den geplanten gemeinsamen Lebensweg.

Das wird gebraucht

fertige Karte, mintgrün
Tonpapier, pastellblau
Strohseide, hellblau
Transparentpapier
Fotokarton, hellblau
Glanzkarton, silber
Cutter

So wird's gemacht

Kleben Sie das pastellblaue Tonpapier (ca. 10 x 14,5 cm) auf die Karte, darüber die Strohseide (4,5 x 14,5 cm). Zwei Herzen aus hellblauem Fotokarton ausschneiden und das größere Herz auf der Strohseide befestigen. Ein Stück Transparentpapier (14,5 x 22 cm) in der Mitte falten und mit Sprühkleber auf der Karte fixieren. Mit dem Cutter schneiden Sie jetzt aus silbernem Glanzkarton nach Vorlage das Brautpaar aus. Es wird – genau wie das kleine Herz – auf dem Transparentpapier befestigt.

Maschendraht-Tischkärtchen

Das wird gebraucht

11 cm Maschendrahtband, 5,5 cm breit
20 cm Silberdraht, Ø 1 mm
Fotokarton, hellblau
Silberstift

So wird's gemacht

Das Maschendrahtstück zum Halbkreis biegen. Aus Silberdraht ein Herz formen, die Enden gegeneinander verdrehen und am Maschendrahtbogen befestigen. Schneiden oder stanzen Sie aus hellblauem Fotokarton ein Herz aus sowie ein 2 x 8 cm großes Namensschild, das an den Enden mit einem Stäbchen eingerollt und beschriftet wird. Beide Papierelemente mit Heißkleber am Maschendraht fixieren.

Goldregen

Eine besondere Idee für den außergewöhnlichen Tag...

Das wird gebraucht

Passepartoutkarte, cremefarben
Hartfolie, 0,2 mm dick
Abstandsband
oder:
fertige Schüttelkarte, cremefarben
Goldsand, grob
Stanzmotiv »Ringe«
Glanzkarton, gold
Fotokarton, apricotfarben
Reispapier
Glitzerstift

So wird's gemacht

Einladungskarte

Die zugeschnittene Hartfolie hinter den Passepartoutausschnitt kleben und rings um den Ausschnitt das Abstandsband anbringen; achten Sie darauf, dass keine Lücken entstehen. Nun wird auf dem apricotfarbenen Fotokarton ein Reispapierherz fixiert. In der Mitte des Herzens die ausgestanzten Goldringe befestigen. Der Herz-Umriss wird mit Glitzerstift umrandet; zusätzlich verreiben Sie etwas Glitzerfarbe mit dem Finger auf dem Fotokarton. Abschließend Goldsand auf den hinterklebten Passepartoutausschnitt schütten und den beklebten Fotokarton von hinten auf dem Abstandsband fixieren.

Tischkärtchen

In die Vorderseite des cremefarbenen Tischkärtchens mit dem Cutter einen Bogen einschneiden und diesen nach innen klappen. Darauf werden die goldenen Ringe geklebt. Oben rechts zwei Herzen anbringen und das Kärtchen mit Gold- oder Glitzerstift beschriften.

Herz-Rosen-kränzchen

Ein wenig Nostalgie und Romantik – ohne aufdringlich-kitschigen Beigeschmack.

Das wird gebraucht

- Fotokarton, olivgrün
- Kokospapier, natur
- Universalkarton, weiß
- Metallschablone »Rosenherz«
- Strukturpaste
- Bastelfarbe, olivgrün
- Schwämmchen
- Motivschere

So wird's gemacht

Basteln Sie aus olivfarbenem Fotokarton eine 10,5 x 15 cm große Karte. Kokospapier und Universalkarton mit der Motivschere jeweils etwas kleiner zuschneiden und auf die Karte kleben. Auf den weißen Karton kleben Sie das nach Anleitung auf Seite 5 mit Strukturpaste und Schablone gefertigte Rosenherz auf. Nach dem Trocknen nochmals die Schablone über das Motiv legen und mit einem Schwämmchen vorsichtig grüne Farbe auftupfen.

Röschengeflecht

Verstrickt, gefangen, glücklich gebunden... im Netz der Liebe.

Das wird gebraucht

Passepartoutkarte, apricotfarben
Naturpapier mit Blütenstruktur
Röschen, cremefarben
15 cm Maschendrahtband, 5,5 cm breit
Fotokarton, cremefarben
20 cm Efeuranke mit Draht
Klebeschrift

So wird's gemacht

Einladungskarte

Zunächst kleben Sie das Naturpapier hinter den Passepartoutausschnitt. Dann die Efeuranke durch den

Maschendraht schlingen und am besten mit Heißkleber an einigen verdeckten Punkten befestigen. Die Röschen vom Stiel trennen und versetzt auf dem Maschendraht fixieren. Zum Schluss das Herz aus cremefarbenem Karton ausschneiden, mit der Klebeschrift versehen und in das Maschendrahtgeflecht stecken.

Tischkärtchen

Das passende Tischkärtchen wird nach demselben Prinzip (siehe Abbildung) gearbeitet.

Weil wir uns lieben ...

... sind hier zwei Herzen miteinander »verschmolzen«.

Vorlage siehe Vorlagenbogen

So wird's gemacht

Fertigen Sie aus 3-D-Wellpappe die Karte an (17 x 12 cm) und schneiden Sie nach Vorlage aus grauem »Elefanten-

haut«-Papier das Klappherz aus. In die Mitte wird außen ein Herz aus dunkelblauem, innen aus silbernem Tonpapier aufgeklebt. Das Klappherz deckungsgleich falten und auf der Karte befestigen. Aus cremefarbenem Tonpapier schneiden Sie jetzt einen geschwungenen, ca. 13 cm langen Zierstreifen mit der Motivschere zu; er wird blau beschriftet und an der Unterseite mit Klebepads über dem Klappherz angebracht. Den blauen Zierstreifen für die Innenseite (9,5 x 1,5 cm) mit Goldstift beschriften und auf dem silbernen Herz fixieren. Die ausgestanzten Goldringe rechts unten auf die Karte kleben.

Das wird gebraucht

- 3-D-Wellpappe, natur
- »Elefantenhaut«-Papier, grau
- Tonpapier, dunkelblau, cremefarben und silber
- Motivschere
- Stanzmotiv »Ringe«
- Glanzkarton, gold
- Stift, blau und gold
- Klebepads, 0,5 mm dick

Klassik-Karte

Diese edle und etwas strenger gestaltete Karte passt zum Stil einer klassisch ausgerichteten Hochzeit.

Das wird gebraucht

Karte, hellgelb (10,5 x 15 cm)
Transparentpapier, 17 x 23 cm
Glanzkarton, silber
22 cm Silberdraht, Ø 1 mm
Zange
15 cm Efeuranke
Silberstift

So wird's gemacht

Das Transparentpapier am Mittelfalz so um die Karte legen, dass an den Seiten jeweils 1 cm übersteht. Nun kleben Sie ein Rechteck aus Glanzkarton (4,5 x 6,5 cm) in der Mitte auf. Den Silberdraht mit der Zange nach Abbildung biegen, mit der Efeuranke umwickeln und auf dem Glanzkarton befestigen. Zum Schluss einen an den Enden eingerollten Transparentpapierstreifen mit Silberstift beschriften.

Zylinder

Auch wenn der Zylinder nur noch selten bei Hochzeiten getragen wird – ohne viele Worte wird hier bereits klar, um welche Art der Einladung es sich handelt.

Einladungskarte

Vorlage siehe Vorlagenbogen

Das wird gebraucht

3-D-Wellpappe, schwarz
Velours-Blatt
52 cm Satinband, grau, 3 mm breit
Satinröschen, hellblau
Stanzmotiv »Ringe«
Glanzkarton, silber
Glitzerstift, silber

So wird's gemacht

Die Karte nach Vorlage in Form eines Zylinders ausschneiden und den Rand mit Glitzerstift umfahren. Schneiden Sie das Satinband in vier gleich lange Stücke, die Sie auf dem Zylinder befestigen. Zum Schluss Satinröschen, Velours-Blatt und silberne Stanzringe aufkleben.

Tischkärtchen

Das wird gebraucht

Fotokarton, silber
Velours-Zylinder
Grasfaser
Effektdraht, silber
Holzästchen

So wird's gemacht

Holzästchen und Grasfaser mit Effektdraht zusammenbinden. Auf dem Gebinde befestigen Sie nun den kleinen Velours-Zylinder. Aus dem Silberkarton ein Herz ausschneiden entsprechend beschriften und an einem Ästchen fixieren.

Zarte Spitzen

Romantik pur, für junge und jung gebliebene Paare...

Das wird gebraucht

Karte, mintgrün (10,5 x 15 cm)
Spitzenpapier, weiß (17 x 23 cm)
Glanzkarton, silber
Fotokarton, silber
gefrostetes Efeublatt
Silberdraht, Ø 0,4 mm
2 Perlenherzchen
Transparentpapier
Silberstift

So wird's gemacht

Das Spitzenpapier in der Mitte falten, um die Karte legen und mit Sprühkleber fixieren. Dann werden zwei Glanzkartonstücke (je 5 x 5,5 cm) zugeschnitten und auf die Karte geklebt. Darüber das

Efeublatt befestigen (siehe Abbildung). Am Blattstiel werden mit Silberdraht die Perlenherzchen angebracht.

Einen Streifen aus Transparentpapier silbern beschriften und anschließend mit Sprühkleber fixieren.

Herbstzauber

Die passende Karte für einen Hochzeitstermin zu fortgeschrittener Jahreszeit.

Das wird gebraucht

Karte, rot (12 x 17 cm)
Kokospapier, rot
Japanseide, orangefarben
Naturpapier, cremefarben
Herbstblatt
Klarlack auf Wasserbasis
einseitig selbstklebende Folie
Naturbast
Klebeschrift

So wird's gemacht

Einladungskarte

Kokospapier, Japanseide sowie Naturpapier reißen und auf die Karte kleben. Ein Herbstblatt in Serviettentechnik (siehe Anleitung Seite 4) darüber befestigen. Mit Bast binden Sie das Einlegeblatt an der Karte an. Zum Schluss noch die Klebeschrift auf der Karte anbringen.

Tischkarte

(Vorlage siehe Vorlagenbogen)
Das Tischkärtchen nach Vorlage ausschneiden und ein kleines Herbstblatt in Serviettentechnik (siehe Anleitung Seite 4) auf einem gerissenen Stück Naturpapier fixieren. Beides zusammen wird mit dem Blattstiel in den Falz des Kärtchens geklebt. Mit Goldstift beschriften.

Anke
Petra
Carmen
Tanja
Ralf
Mäxe
Michael
Eddi

Pures Gold

Vorlagen siehe Vorlagebogen

Die kostbare Karten-Variante für alle, die eine Vorliebe für wirklich »Glanzvolles« haben...

Das wird gebraucht

3-D-Wellpappenkarte, natur
Fotokarton, bordeauxrot und weiß
»Elefantenhaut«-Papier
Naturbast
Blattgold, irisierend
Anlegemilch
Klebeschrift, gold
Motivschere
Klebepads

So wird's gemacht

Kleben Sie den mit der Motivschere zugeschnittenen Fotokarton in Bordeauxrot (10 x 13 cm) sowie ein Feld aus »Elefantenhaut«-Papier (9 x 12 cm) auf die Karte. Das kleinere Herz nach Vorlage aus weißem Fotokarton ausschneiden, mit der Anlegemilch einpinseln und das Blattgold vorsichtig darüber streichen. Mit Klebepads befestigen Sie das fertige Blattgoldherz auf dem größeren Herz aus bordeauxrotem Karton (siehe Vorlage). Aus Bast eine Schleife binden und darunter aufkleben. Zum Schluss die Klebeschrift anbringen.

Silber und Blau

Diese beiden Farben ergeben ein glänzendes »Paar« für eine Karte.

So wird's gemacht

Ein Rechteck aus cremefarbenem Tonpapier (9,5 x 17 cm) und das mit der Motivschere geschnittene Fotokartonfeld (8 x 14 cm) auf die Karte kleben. Aus Sil-

Das wird gebraucht

Karte, blau
Tonpapier, cremefarben
Fotokarton, blau
Japanseide, dunkelblau
Silberdraht, Ø 1 mm
Motivschere
Zange
Kordel, dunkelblau

berdraht mit der Zange ein Herz biegen und mit Japanseide hinterkleben. Das Einlegeblatt für die Karte wird mit Kordel im Falz festgebunden.

Blauvariation

Das wird gebraucht

- Karte, blau
- Juteband, blau
- Fotokarton, cremefarben und silber
- Stempel
- Stempelkissen, silber
- Stanzmotiv »Herz«
- Motivschere

So wird's gemacht

Zunächst das Juteband (8 x 8 cm) auf der Karte fixieren. Stanzen Sie dann aus dem creme- und silberfarbenen Karton je ein Herz aus und kleben Sie beide auf das Jutequadrat. Auf einen cremefarbenen Fotokartonstreifen wird der gewünschte Schriftzug gestempelt; anschließend mit der Motivschere ausschneiden und schräg auf der Karte befestigen.

Tipp

Ein beschrifteter Anhänger, der mit Bast auf die Serviette aufgebunden wird, ist eine originelle Idee als Ersatz für das klassische Kärtchen bei Tisch (siehe Abbildung).

Im Zweiertakt

Vorlagen siehe Vorlagenbogen

Wenn Ihnen Harmonie und Musik am Herzen liegen, ist diese Karte genau richtig.

Das wird gebraucht

- Fotokarton, silber, grau und cremefarben
- Kokospapier, rot
- Notenblattkopie (Bastelfachhandel)
- Klebe- oder gedruckte Buchstaben

So wird's gemacht

Einladungskarte

Basteln Sie aus grauem Fotokarton eine 10,5 x 15 cm große Karte. Am linken Rand wird ein Streifen aus Silberkarton (7 x 15 cm) befestigt, in die Mitte kleben Sie den Ausschnitt aus der Notenblattkopie. Zwei nach Vorlage ausgeschnittene Herzen aus Kokospapier und cremefarbenem Karton bilden den »Schlusstakt«.

Menükarte

In die Mitte der aus grauem Karton gefertigten Menükarte (10,5 x 20,5 cm) ein Silberkartonfeld (7,5 x 13 cm) kleben. Die nach Vorlage ausgeschnittenen Herzen auf einem selbst bedruckten, weißen Tonpapierstreifen platzieren.

Musikverein
M
E
N
Ü

Tischtöpfchen »Violine«

Das wird gebraucht

kleiner Tontopf
Bastelfarbe, silber
Steckziegel
Sisal, natur
Kunstefeu
Holzstäbchen
Mini-Violine
Fotokarton, silber

So wird's gemacht

Den Tontopf mit Silberfarbe bemalen und mit dem passend zugeschnittenen Steckziegel füllen. Diesen mit Sisal bedecken und die Efeublätter einstecken. Violine und Fotokarton (5 x 5 cm) auf einen Holzspieß kleben und das beschriftete Namensschild anbringen.

Window-Color-Schüttelkarte

Bei dieser freien Dekorationsmethode wird jede Karte ein wenig anders aussehen.

Das wird gebraucht

Passepartoutkarte, hellblau
Reispapier
Fotokarton, weiß und hellblau
Stanzmotiv »Herz«
Silberflitter
Abstandsband
Hartfolie, 0,2 mm dick
Window-Color-Farben, perlmutt, gelb, silber (Konturenfarbe)

So wird's gemacht

Einladungskarte

Den Passepartoutausschnitt mit Hartfolie hinterkleben und rings um den Ausschnitt das Abstandsband anbringen. Schütten Sie etwas Flitter auf die Folie; dann befestigen Sie den weißen Fotokarton von der Rückseite über dem Abstandsband. Mit Window-Color-Farben direkt auf die Karte eine Blumenranke aufmalen und das aus Reispapier ausgestanzte Herz auf der Hartfolie fixieren (siehe Abbildung).

Menükarte

Die Menükarte stellen Sie aus weißem Fotokarton in der Größe 10,5 x 20,5 cm her. Ein hellblaues Kartonrechteck (6,5 x 10 cm) wellig zuschneiden und aufkleben. Die Vorderseite verzieren Sie nun mit einer in Window-Color-Farben gemalten Blumenkette.

Tischkärtchen

Auf die Tischkarte (10 x 7 cm) das in Silber beschriftete Namensschild (6 x 2,5 cm) aufkleben und mit Window-Color-Farben locker verzieren.

Die Deutsche Bibliothek – CIP-Einheitsaufnahme

Ein Titeldatensatz für diese Publikation ist bei Der Deutschen Bibliothek erhältlich.

Bei Schwierigkeiten bei der Materialbeschaffung oder anderen Fragen wenden Sie sich an: www.bastel-tip.de

Die im Buch veröffentlichten Ratschläge wurden von Verfasserin und Verlag sorgfältig erarbeitet und geprüft. Eine Garantie kann dennoch nicht übernommen werden. Ebenso ist die Haftung der Verfasserin bzw. des Verlages und seiner Beauftragten für Personen-, Sach- und Vermögensschäden ausgeschlossen.

Fotografie: Klaus Lipa, Diedorf bei Augsburg
Lektorat: Eva-Maria Müller, Augsburg
Umschlaglayout: Angelika Tröger
Layout: Anton Walter, Gundelfingen

AUGUSTUS VERLAG, München 2001

Satz: Gesetzt aus 9,5 Punkt The Sans von DTP-Design Walter, Gundelfingen
Reproduktion: Repro Ludwig, A-Zell am See
Druck und Bindung: Offizin Andersen Nexö, Leipzig

Gedruckt auf 135 g umweltfreundlich chlorfrei gebleichtes Papier.

ISBN 3-8043-0841-4

Printed in Germany